Adaptado por N. B. Grace

Basado en la serie creada por Dan Povenmire y Jeff «Swampy» Marsh

ISBN: 978-84-9951-118-4

Publicado por Libros Disney, un sello editorial
de The Walt Disney Company Iberia, S.L.
c/ José Bardasano Baos, 9
28016 MADRID

Impreso en España / Printed in Spain
Depósito Legal: M-54430-2010

Primera parte

Capítulo 1

Era una hermosa mañana de verano. Phineas Flynn y su hermanastro Ferb Fletcher se encontraban desayunando en la mesa de la cocina. Les acompañaban sus amigos Django, Buford e Isabella. Estaban todos emocionados porque más tarde irían al circo.

Baljeet, otro amigo de la pandilla, entró de golpe en la cocina.

—¡Vamos al circo! ¡Vamos al circo! —dijo canturreando. Seguidamente se interrumpió y sonrió

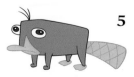

a sus colegas—. ¡Aquí me tenéis, listo para ir a ver el Circo de la Luna, famoso en el mundo entero!

—Siéntate —le invitó Phineas—. Nos marchamos en un minuto.

—De acuerdo —dijo Baljeet intentando contenerse. Pero fue incapaz. Casi inmediatamente reanudó su canturreo—. ¡Vamos al circo! ¡Vamos al circo!

El señor Fletcher entró entonces en la cocina con un periódico en las manos. Ferb y su padre eran ingleses. Cuando el señor Fletcher y la madre de Phineas se casaron, Phineas y Ferb se convirtieron en hermanastros. Pero nunca pensaban en eso. Desde el principio se convirtieron en íntimos amigos.

—Me temo que se acabó la juerga, muchachos —dijo el señor Fletcher. Señalaba un artículo que

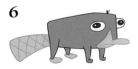

aparecía en el periódico—. Aquí dice que el artista principal del Circo de la Luna tiene una alergia grave. Y que se suspende la función de hoy.

—¡Pues vaya faena! —dijo Isabella con tristeza.

La madre de Phineas, la señora Flynn-Fletcher, entró con un tazón de café en la mano.

—Como se parezca a la alergia que tiene Candace a las chirivías, ¡buf! La verdad es que no le culpo por no querer aparecer en público —aseguró la señora Flynn-Fletcher.

Candace Flynn era la hermana mayor de Phineas y Ferb. Las chirivías le producían una reacción muy fuerte.

—Se llena de manchas rojas... y se le pone una voz de lo más raro —le explicó Phineas a Isabella—. Bastante desagradable —añadió en un susurro.

La señora Flynn-Fletcher se volvió hacia su marido.

—Bueno, cariño, eso te deja la mañana libre para que me acompañes al centro comercial

—dijo con optimismo—. ¡Precisamente hoy nuestro trío va a grabar su primer álbum: «En vivo desde el Club de Costura»!

Lo cierto es que la madre de Phineas tocaba el teclado en un grupo de jazz compuesto por ella misma y dos amigas suyas. Las tres llevaban varias semanas ensayando y estaban muy emocionadas con el proyecto de grabar un disco.

—Mmmm... ¡Pues andando y sin perder el ritmo! —exclamó el señor Fletcher acogiendo la propuesta de su esposa.

Esta les dio un abrazo a Phineas y Ferb. Y echando un vistazo a las caras largas que había alrededor de la mesa, dijo:

—Animaos, chicos. Seguro que os lo pasáis bien de todas formas.

Luego se dirigió hacia la puerta acompañada del señor Fletcher y añadió:

—¡Adiós, chavales! ¡A portarse bien y a divertirse!

Los padres de Phineas y Ferb se habían marchado. Los cinco amigos se miraron. El cambio de planes los había dejado un poco tristes.

—Tiene que molar un montón estar en el circo —dijo Isabella con voz melancólica.

—Ya lo creo —contestó Phineas.

De repente se le ocurrió una idea.

—¡Un momento, Ferb! ¿Por qué no montamos nuestro propio circo? —exclamó. Se le dibujó una sonrisa en la cara mientras se daba cuenta de que, una vez más, había ideado un plan alucinante—.

¡Esta va a ser gorda! Ferb se encargará de levantar la carpa y yo seré el jefe de pista…

—¡Y nosotras podemos coser los trajes de los artistas! —propuso Isabella.

—¡Yo puedo hacer un número poniéndome la pierna encima de la cabeza! —exclamó Django.

Sin levantarse de la silla, Django intentó colocar una pierna alrededor de su cuello. Perdió el equilibrio y se cayó hacia atrás —con silla y todo—, armando un gran estruendo.

—¡Auu! Bueno, tengo que ensayar.

—Hasta Perry puede tener su propio número. ¡El Asombroso Perry! —dijo Phineas a voz en grito, imitando a un jefe de pista. Perry era un ornitorrinco: la mascota de Phineas y Ferb.

Perry se volvió para mirar a la pandilla con cara de susto. Hasta entonces se había limitado a disfrutar tranquilamente de su desayuno, que tenía en un cuenco apoyado en el suelo de la cocina. Le pilló por sorpresa que lo presentaran como un artista del trapecio o un

funambulista. Sobre todo teniendo en cuenta la hora que era.

—Pues a mí me gustaría hacer un número mágico-místico —dijo Baljeet. Entonces juntó las manos y a continuación las separó mientras escondía en la palma uno de sus pulgares para que diera la impresión de que había desaparecido.

—¡El público se quedará completamente estupefacto! —exclamó.

Buford observó el truco de Baljeet. Normalmente era un poco brutote, pero incluso a él le había llamado mucho la atención el plan de Phineas.

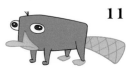

—Yo tengo pensado un número que va a ser la bomba —se jactó.

Phineas estaba impaciente por poner manos a la obra.

—¡Ferb, las herramientas! —gritó.

—¡Vamos a ello! —exclamó Isabella.

—¡Fantástico! —exclamó Django apoyando la propuesta.

—¡Yupi! —añadió Baljeet a grito pelado.

La pandilla salió a toda prisa por la puerta de la cocina hacia el jardín trasero de la casa. Había mucho trabajo que hacer si de verdad querían poner en pie su propio circo.

En la planta de arriba seguía en la cama, recién despierta, la hermana mayor de Phineas y Ferb: Candace Flynn. Se estiró y dio un bostezo. Seguidamente, contempló con una sonrisa una foto enmarcada que reposaba sobre un almohadón situado junto al suyo. Era un retrato de Jeremy Johnson, el muchacho que le gustaba.

—¡Buenos días, Jeremy! —le dijo Candace a la fotografía. Entonces puso voz de chico, como si el que hablara fuera Jeremy, y contestó su propio saludo—. Buenos días, preciosa —dijo antes de que le diera la risa tonta—. ¡Oh, Jer!

Cogió otro marco en el que estaba su propia fotografía y juntó los dos retratos mientras hacía ruidos como si estuvieran besuqueándose.

De repente se oyó un runrún muy molesto que procedía del jardín.

—Ahora mismo vuelvo, Jeremy —dijo Candace mientras se le agriaba el gesto. Saltó de la cama y se acercó a la ventana de su cuarto—. ¿Pero qué pasa aquí? —refunfuñó.

En aquel mismo instante se estaba izando en el jardín una carpa de circo de color rosa y morado.

13

—¿Un circo? —gritó Candace—. ¿Es que no me van a dejar tranquila ni un solo día?

Aquello llevaba la firma de Phineas y Ferb, pensó Candace. Siempre estaban experimentando con planes disparatados: desde participar en una carrera de coches hasta construir una montaña rusa en el jardín trasero de la casa. Para Candace, lo más irritante de todo era que sus hermanos siempre se salían con la suya. ¡Sus padres nunca sospechaban nada! Al parecer, aquel día no iba a ser la excepción.

Capítulo 2

Dentro de la inmensa carpa, la pandilla de Phineas y Ferb estaba ensayando sus números e instalando unas gradas con asientos. Phineas se había disfrazado de jefe de pista. Llevaba una chistera, pantalones de color naranja y una chaqueta de color azul brillante con ribetes dorados. En cuanto a Ferb, llevaba puesto un sombrero verde con cascabeles y un traje de color verde y morado, además de ir maquillado como un payaso. La verdad es que estaba disfrazado de bufón.

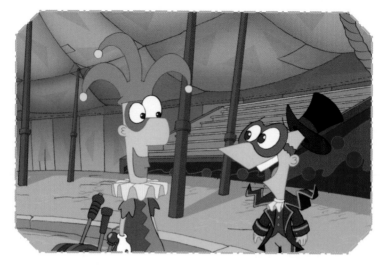

Phineas echó un vistazo a su alrededor.

—¡Esto tiene realmente muy buena pinta, Ferb! Oye, ¿has visto a Perry? Ya lo tenía disfrazado para la función.

En efecto, Perry el ornitorrinco se encontraba vestido para aparecer en la pista, pero no estaba en absoluto contento con su atuendo. Llevaba puesto un top hecho con una cáscara de coco partida en dos, una falda llena de pliegues y un antifaz negro. Para colmo, le habían colocado en la cabeza cuatro plumas verdes.

Aunque el disfraz de Perry era para actuar en la pista de un circo, él no tenía ninguna intención

de participar en aquel plan. La razón es que Perry no era un ornitorrinco cualquiera. También era un agente secreto que trabajaba para una organización secreta cuyo propósito era combatir a un enemigo igualmente secreto. Todo era tan secreto que ni siquiera Phineas y Ferb conocían la verdadera identidad de Perry. Los dos estaban convencidos de que Perry no era más que una mascota.

En el exterior de la carpa, Perry cruzó al trote el jardín trasero en dirección a un dispositivo secreto de transporte. Se detuvo un instante y del césped surgió un ascensor de cristal. Perry se metió en su interior y apretó un botón. Seguidamente el ascensor se hundió en la tierra, penetrando en un túnel que conducía a la guarida secreta del agente Perry.

Al poco rato, Perry estaba sentado en una silla delante de una gran pantalla. Su superior, el mayor Monogram, apareció en la imagen del monitor.

El mayor Monogram tenía bigote y vestía de uniforme militar. Normalmente parecía un hombre muy serio. Pero cuando dejó de leer el informe que tenía delante y vio a Perry con su ridículo atuendo

circense, no pudo evitar echarse a reír. Finalmente consiguió controlar su risa lo suficiente como para poder hablar.

—Bien, agente P. —dijo el mayor Monogram—, el Dr. Doofenshmirtz está adquiriendo equipos biomecánicos y cintas de elocución.

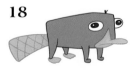

Entonces empezó a reírse otra vez, en esta ocasión con más ganas aún que antes.

—No… No sabemos por qué.

Irritado, Perry se levantó de la silla y se encaminó a la puerta.

—¿Adón… adónde va, agente P.? —le preguntó el mayor Monogram—. Espere, espere, espere. No se vaya. No me estoy riendo de usted. Es que… Es que esta mañana me han contado un chiste muy gracioso y…

Perry se detuvo, pero no se volvió para mirar al monitor. El mayor Monogram tendría que esforzarse un poco más si quería que el agente no se marchara.

—Por favor. Por favor, agente P., dese la vuelta para que podamos concluir esta reunión —dijo el mayor.

Perry vaciló un momento. Aunque el mayor había herido sus sentimientos, lo que se proponía su viejo enemigo, el Dr. Doofenshmirtz no podía ser nada bueno. El agente decidió que el destino del mundo era más importante que sus sentimientos.

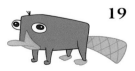

Volvió a mirar hacia la pantalla. En aquel instante, el mayor Monogram, que tenía el teléfono móvil en la mano, le hizo una foto a Perry. A continuación siguió desternillándose.

—Karl, dame tu dirección de correo electrónico —gritó a alguien que estaba fuera de la pantalla—. Te tengo que mandar una cosa.

Harto de tanta guasa, Perry abandonó la estancia. Al fondo seguían oyéndose las risas del mayor Monogram.

En el jardín, mientras tanto, Buford se preparaba para llevar a cabo su propia misión: su número circense. Para ello empujó un carro lleno de trastos hasta la entrada de la carpa, donde se encontraba Phineas.

—Oye, tronco, he traído lo que necesito para mi número —dijo Buford.

Phineas miró el carro, que estaba lleno de tablones de madera y contenía además un enorme muelle de metal.

—Buford, ¿en qué consiste tu número exactamente? —le preguntó Phineas.

—Vuelo con una bolsa de papel en la cabeza y caigo en el barro —contestó Buford lleno de orgullo, mientras sostenía en la mano un croquis hecho a mano en el que se veía una catapulta construida con los tablones y el muelle. En el croquis se distinguía también un enorme barreño lleno de barro.

Phineas le miró perplejo. Que le tiraran a uno en una bañera llena de barro no era exactamente su idea de pasarlo bien. Pero claro, él no era Buford.

Y tampoco tenía ganas de discutir.

—Vale, de acuerdo —Phineas asintió con la cabeza.

—La peña va a flipar —aseguró Buford mientras empujaba el carro hasta el interior de la carpa.

Mientras tanto, Candace se había vestido. Salió al jardín y se quedó mirando la carpa. Vista de cerca, parecía incluso más grande.

—Esta vez ni siquiera pienso llamar a mamá —dijo entre dientes—. No, señor.

Entonces le pareció oír los berridos de un elefante dentro de la carpa.

—¿Un elefante? —pensó Candace—. ¿Y si estaba suelto y le daba por destrozarlo todo? ¿Qué

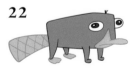

pasaría si pisoteaba los macizos de flores y los triciclos de los más pequeños? ¡Esta vez Phineas y Ferb se habían pasado siete pueblos!

Candace abrió su teléfono móvil y marcó el número de su madre.

—Candace, cielo, escucha. Ahora no puedo hablar —se oyó la voz de la señora Flynn-Fletcher por el auricular—. Estamos grabando. ¿Es un asunto de vida o muerte?

Candace contempló la carpa. Si dentro había un elefante, el animal parecía —de momento— tranquilo.

—Pues… no —contestó—. Pero…

—Entonces te dejo —le interrumpió su madre—. ¡Chao!

Candace soltó un alarido de frustración. En aquel momento, apareció Jeremy con una cesta de verduras entre las manos.

—¡Hola, Candace! —dijo.

—¡Ah! ¡Hola, Jeremy! —contestó Candace con alegría.

—Mi madre me pidió que os trajera estas verduras del huerto —dijo Jeremy—. Ya sabes que ahora mismo está con la tuya: por la cosa esa del jazz.

Candace se esforzó por decir algo ingenioso. Quería impresionar a Jeremy, pero se le había quedado la mente en blanco. Por eso se limitó a sonreír diciendo:

—Gracias.

Jeremy se fijó en la carpa.

—¡Vaya, un circo! ¡Qué chulo! —dijo, y se calló un instante—. ¿Como el Circo del Sol, no? —añadió riendo.

Candace se frotó la nariz, que le empezaba a picar. No le importó, porque Jeremy estaba allí a su lado. ¡Y hablando con ella! ¡Y respirando el mismo aire que ella respiraba!

Suspiró como si estuviera en una nube mientras reparaba en el pelo rubio y los ojos azules de

Jeremy. Su rostro destacaba aún más sobre el hermoso cielo de aquel día de verano. A Candace le pareció oír una bella música de fondo. Entonces Jeremy se volvió hacia ella y habló. Candace habría jurado que le oyó decir:

—Buenos días, preciosa.

—¡Oh! —ella soltó una risa de lo más tonto.

—¿Qué te parece? —le preguntó Jeremy.

Candace tuvo que volver al mundo real.

—¿Cómo dices?

—Te decía que por qué no nos sentamos juntos —le repitió Jeremy—. A ver la función. Bueno, si… si te apetece…

Candace no daba crédito a lo que estaba oyendo. Jeremy le estaba pidiendo sentarse a su lado en el circo. ¡Prácticamente era como si le estuviera proponiendo una cita!

—¡Sí, sí! —le contestó. Pero de repente, le dio un ataque de tos.

—Candace… ¿te encuentras bien? —le preguntó Jeremy con cara de preocupación.

Sin previo aviso, Candace se cayó al suelo. ¡Tenía la cara llena de manchas rojas!

Entonces reparó en la cesta de verduras que sostenía en sus manos. Y se le ocurrió una idea bastante desagradable.

—Esto… ¿no habrá alguna chirivía en la cesta?

—Pues… la verdad es que no hay otra cosa —contestó Jeremy un tanto perplejo.

—Ahora entiendo —pensó Candace—. Son las chirivías, a las que tengo una alergia de caballo—. Se puso de pie y dejó la cesta en el suelo—. Luego vamos —dijo en voz alta. Y, sin dejar de toser, se alejó de allí a trompicones.

Necesitaba reponerse como fuera de aquella alergia —urgentemente— si quería sentarse junto a Jeremy en el circo.

Capítulo 3

El agente P. se dirigió al escondite secreto de su enemigo. Estaba decidido a poner al descubierto el último y malvado plan del Dr. Doofenshmirtz. Entretanto, dentro de su cuartel general, el científico se encontraba escuchando una grabación que llevaba por título «Cómo habla un tipo duro». Se oía una voz masculina como con ganas de buscar pelea.

—¡Estoy bailando con tu mujer, amigo! —decía la voz con un tono de irritación—. ¿Algún problema?

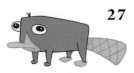

El Dr. Doofenshmirtz escuchaba con suma atención. Seguidamente intentó repetir aquellas frases con entonación de tipo duro.

—Estoy bailan… —empezó a decir, pero le salió un gallo en la voz. Se aclaró entonces la garganta y volvió a intentarlo.

—¡Estoy bailando con tu mujer, amigo! ¿Algún problema? —esta vez si parecía enfadado.

Sofocó un grito de satisfacción.

—¡Muy bien, muy bien! ¡Parezco un tipo duro!

La grabación continuó diciendo:

—¡Pues sí! Me acabo de comer tu última nectarina. ¿Algún problema?

Impaciente, el Dr. Doofenshmirtz empezó a repetir la frase:

—¡Pues sí! Me he comido…

En aquel momento se abrió el techo y apareció Perry, propulsado por un dispositivo portátil. Se había quitado su atuendo circense y llevaba puesto el sombrero marrón de agente secreto.

—¡Perry el ornitorrinco! —exclamó el Dr. Doofenshmirtz—. ¿Te importaría … —añadió mientras le envolvía una nube de polvo causada

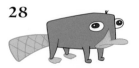

por el derrumbe del techo que le provocó un ataque de tos—. ¿Te importaría entrar por la puerta principal la próxima vez? ¿Me harías ese favor?

Perry echó un vistazo a la puerta principal, delante de la cual se podía ver una enorme trampa de acero. ¡Como si el famoso agente P. fuera a caer en un engaño tan burdo!, pensó Perry.

El Dr. Doofenshmirtz comprendió que había fracasado a la hora de hablar como un tipo duro. Entonces insistió con voz amenazadora:

—¡Pues sí! Me acabo de comer tu última nectarina. ¿Algún problema?

Perplejo, Perry se quedó mirando a su enemigo.

—¿A que parezco un tipo duro de verdad? —dijo el Dr. Doofenshmirtz mientras asentía con la cabeza—. Pues esto no es nada.

29

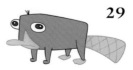

Entonces apretó el enorme botón rojo del mando a distancia que sostenía en una mano. Seguidamente cayó del techo una red justo encima de Perry. El ornitorrinco quedó atrapado en su interior y salió despedido por el aire.

—Verás: desde que era niño he tenido una voz muy aguda y desagradable —explicó el Dr. Doofenshmirtz—. Pero eso se ha acabado. ¡Contempla el Vocinator! —exclamó señalando a una gigantesca máquina—. Este aparato transforma biomecánicamente el aire que respiramos en doofelio: un gas que hace que la voz de los demás suene más aguda y que la mía parezca más grave en comparación. Mi idea era conseguir que mi voz se volviera más grave, pero, en fin, la cosa resultó demasiado complicada.

El científico se encaramó al Vocinator y arrancó el motor. La máquina despegó del suelo y ascendió en dirección al agujero que había en el techo.

Mientras lo atravesaba, cayó sobre el cuartel general del Dr. Doofenshmirtz una nueva lluvia de polvo y escombros.

—¡Vaya, hombre! —exclamó malhumorado.

Perry, que continuaba atrapado en la red, vio cómo el malvado científico se marchaba a bordo de su invento. La misión del agente P. estaba muy clara: ¡tenía que impedir que el Dr. Doofenshmirtz utilizara el Vocinator!

Entretanto, en su habitación, Candace se esforzaba por impedir otra catástrofe bien distinta.

Sentada frente al tocador, contemplaba su imagen en el espejo. Tenía la cara enrojecida, hinchada y llena de manchas.

—¡Tenía que haber chirivías! —exclamó Candace con voz lastimera.

Abrió un cajón y se puso a buscar algo como una loca.

—Las pastillas de la alergia, las pastillas de la alergia… —dijo entre dientes. Por fin, descubrió un frasco con píldoras—. ¡Ajá! ¡Rápido, antes de que me ataque la voz!

Candace abrió el frasco y lo agitó: ¡estaba vacío!

—¡No! —gritó—. Al oír aquella voz tan grave, que no parecía la suya aunque sí lo era, comprendió que ya era demasiado tarde.

Entonces oyó otra voz que provenía de la calle: la voz de una chica de su edad.

—¡Hola, Jeremy! ¿Quieres que nos sentemos juntos a ver la función?

Candace se acercó corriendo a la ventana y miró por el cristal. Una compañera del colegio que se llamaba Mindy estaba en la acera hablando con Jeremy.

—¡No! ¡No! ¿Cómo va a sentarse Mindy con Jeremy? —dijo Candace con aquella extraña voz que parecía un gruñido más que otra cosa—. ¡Tengo que impedirlo como sea! ¡Hablaré con mamá!

De repente Candace vio su propio reflejo en la ventana. Se llevó las manos a la cara, que estaba cubierta de ronchones.

—¡No puedo salir con esta pinta!

Candace miró a su alrededor y vio, en el suelo de su cuarto, una bolsa de papel. Se le ocurrió una idea…

Unos instantes más tarde, Candace salía a hurtadillas de la casa. Se había puesto la bolsa de papel en la cabeza para disfrazarse. Vio a Mindy y a Jeremy y pensó en pasar a su lado sin ser vista.

—¿Entonces qué? ¿Nos sentamos juntos? —le ofreció Mindy a Jeremy.

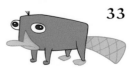

Candace olvidó al momento sus planes de pasar desapercibida. Al contrario, se fue corriendo hacia donde estaba Mindy y la echó a un lado de un empujón.

—Perdona —dijo con su voz aguardentosa.

—Tranquilo, tío —dijo Jeremy.

Candace se quedó de piedra. ¡Jeremy la había tomado por algún descerebrado que llevaba una bolsa de papel en la cabeza! La hermana de Phineas y Ferb se marchó de allí a todo correr con un disgusto morrocotudo.

Cuando ya se había alejado, Jeremy se volvió para contestar a Mindy.

—Te agradezco la invitación —dijo cortésmente—. Pero le prometí a Candace que veríamos juntos la función.

Mientras tanto, Perry seguía atrapado en el laboratorio del Dr. Doofenshmirtz. Todavía dentro de la red, consiguió quitarse el sombrero. Entonces

tiró de un cable que se escondía en su interior y arrancó una sierra oculta dentro de la prenda. Con la sierra cortó la red y, a continuación, aterrizó en el suelo de un salto.

Unos segundos después se dirigía a la casa de los Fynn-Fletcher con su propulsor portátil.

Mientras sobrevolaba el jardín trasero de la vivienda, oyó la voz de Phineas proyectada por un altavoz.

—¡En solo unos momentos podremos ver a Ferb y al Asombroso Perry!

Perry dio un suspiró. El Dr. Doofenshmirtz albergaba el plan de transformar la voz de todos

los habitantes del planeta. Si nadie se lo impedía, todo el mundo tendría la misma voz desagradable que el malvado científico. Perry tenía el deber de detenerlo. Pero también tenía obligaciones para con sus dueños, Phineas y Ferb.

Perry volvió a sacar el top de cáscara de coco que tenía guardado y puso rumbo hacia el jardín.

Dentro de la enorme carpa, las gradas estaban llenas de público. Se habían instalado tres pistas. En la central, Baljeet estaba realizando el truco del pulgar. Phineas y Ferb observaban el número desde la banda.

Phineas se volvió hacia su hermanastro.

—Oye, Ferb, ahora vais vosotros. ¿Dónde está Perry?

En ese momento vio al ornitorrinco.

—¡Vaya, estás aquí!

Baljeet continuó con su número.

—Y ahora, el truco final —dijo dirigiéndose al público—. Voy a unir de nuevo los dos trozos de mi dedo pulgar. Preparados, listos... ¡Ahora! ¡Únete, pulgar!

Con un movimiento rápido, Baljeet simuló la unión de las dos mitades de su pulgar. Alzó las manos en señal de triunfo. Ferb tocó un redoble de batería. El público aclamó al artista.

—¡Un aplauso para Baljeet, maestro de la Estupefacción! —dijo Phineas por el micrófono—. Pero ahora, preparémonos para quedarnos boquiabiertos: el Asombroso Perry, la Criatura Semiacuática, intentará, con la ayuda de Ferb, saltar al interior de ese pequeño estanque —dijo Phineas mientras señalaba hacia la pista central— atravesando el aro.

—¡Ooh! ¡Aah! —exclamó el público.

Un foco iluminó la plataforma donde se había situado Ferb con Perry en los brazos. Delante de la plataforma había un trampolín, un gran aro y

una pequeña piscina. Ferb no se lo pensó dos veces. Sabía que Perry era capaz de realizar aquel número sin ni siquiera tener que ensayar.

Sin moverse de la plataforma, el hermanastro de Phineas alargó los brazos y soltó a Perry. El orni-

torrinco rebotó sobre el trampolín, atravesó el aro de un salto y aterrizó en la piscina sin salpicar prácticamente una gota. El número había salido a las mil maravillas.

—¡Fantástico! ¡Un fuerte aplauso para el Asombroso Perry, la Criatura Semiacuática! —anunció Phineas por el micrófono. La carpa estalló en vítores.

Concluida su actuación, Perry quedó libre para regresar a su verdadero trabajo: la lucha contra el crimen. Se agachó para salir a hurtadillas de la carpa y, una vez fuera, se encontró con su propulsor portátil, que seguía suspendido en el aire. Agarró los manillares del aparato y se marchó volando de allí. ¡Había llegado el momento de detener a Doofenshmirtz!

Capítulo 4

Tras alejarse corriendo de donde se encontraban Jeremy y Mindy, Candace decidió contarle a su madre lo que estaba pasando con el circo de Phineas y Ferb. Sin quitarse la bolsa de papel de la cabeza, se subió en el autobús que se dirigía al centro comercial con el propósito de localizar a su madre.

La señora Flynn-Fletcher y su grupo de jazz se encontraban en el Club de Costura cuando Candace dio con ellas.

—¡Psss! ¡Mamá! —susurró Candace en voz muy baja, pero igualmente ronca.

La señora Flynn-Fletcher reconoció aquella voz sin que le hiciera falta volverse para mirar.

—Candace, ¿te has vuelto a acercar a las chirivías?

A Candace le impacientó el comentario de su madre. Casi se había olvidado de la alergia tras descubrir la que habían organizado sus queridos hermanitos en el jardín trasero de la casa.

—¡Es cierto, pero tienes que ver lo que están haciendo Phineas y Ferb!

—¿De qué se trata esta vez? —preguntó su madre con un suspiro mientras manipulaba los ajustes de su teclado electrónico.

Candace se dio cuenta de que su madre estaba mucho más pendiente de la música que del último enredo de Phineas y Ferb. Por eso se le ocurrió ponerse a cantar. Por culpa de la alergia, su voz parecía un graznido más que otra cosa.

La canción de Candace hablaba de antiguas travesuras realizadas por sus hermanos, como cuando instalaron una montaña rusa y una playa

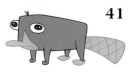

en el jardín, o cuando construyeron una casa-árbol de 15 metros, que además era un robot, sin que sus padres llegaran nunca a enterarse.

Una de las amigas de la señora Flynn-Fletcher, la señora García-Shapiro, que estaba tocando el bajo, se sintió impresionada por aquella interpretación tan intensa.

—¡Vamos, muy bien, Candace! ¡Sigue cantando! —gritó—. ¡El escenario es tuyo!

Animada por aquellas palabras, Candace agarró un micrófono. A continuación borró lo que

había escrito en una pizarra blanca que colgaba de la pared. Mientras seguía cantando, escribió las siguientes palabras: MALOS COMO DEMONIOS.

A la señora Flynn-Fletcher le pareció que la actuación de su hija era magistral. Cogió su guitarra eléctrica, la conectó y empezó a tocar unos acordes de blues para acompañar a Candace, que no dejaba de cantar.

Por su parte, el señor Fletcher, presente entre el público, ajustó los niveles de sonido en su equipo de grabación. Las mujeres que estaban asistiendo

a una clase de tricotar se pusieron a menear las cabezas al ritmo de la música sin interrumpir su labor de punto.

Candace interpretó otra estrofa alusiva a sus hermanos. Las mujeres de la clase de tricotar la acompañaron en el estribillo de la canción.

La segunda vez que intervinieron para hacer los coros, y para reforzar el acompañamiento vocal, levantaron unas letras que acababan de tricotar y que formaban la palabra DEMONIOS.

Candace se dejó caer de rodillas para terminar la canción de un modo apoteósico.

Terminada la actuación, las mujeres la aclamaron con gritos y lanzaron al aire sus ovillos de color rojo.

Con la respiración aún algo entrecortada, Candace se dirigió a su madre.

—¿Entonces qué? ¿Te vienes a casa conmigo?

La señora Flynn-Fletcher le sonrió.

—¿Bromeas, cielo? —le dijo en voz bien alta—. ¡Vamos a tocar otra!

Candace soltó un gruñido de exasperación.

Sirviéndose de su propulsor portátil, Perry voló hasta dar alcance al Vocinator, que seguía surcando el cielo. Aterrizó en la cubierta del aparato, justo delante del Dr. Doofenshmirtz.

—Perry el ornitorrinco —exclamó este último—. ¡Llegas demasiado tarde!

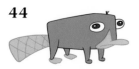

Perry se percató de un gran interruptor en el que se leían las palabras ON/OFF y se dispuso a apagarlo.

—¡Alto ahí! —dijo el Dr. Doofenshmirtz mientras le apartaba la pata de una palmada.

¡Aquello no iba a detener al agente P.! Perry alargó de nuevo su pata en dirección al interruptor.

—¡Quieto, no lo toques! —vociferó entonces el Dr. Doofenshmirtz mientras volvía a retirar la pata de Perry de un golpe.

Perry lo intentó una vez más. Pasaron unos pocos minutos en los que el ornitorrinco se esforzó

por apagar el interruptor mientras el supervillano seguía dándole palmadas en la pata.

—¡Quieto, quieto! ¡Que te estés quieto te digo! —Doofenshmirtz gritaba una y otra vez.

Finalmente, el científico se limitó a tapar el interruptor con sus manos.

Perry esperaba aquella reacción, así que empezó a hacerle cosquillas al Dr. Doofenshmirtz.

—¡Basta… basta! —gritó este—. ¡Basta!

Pero Perry siguió haciéndole cosquillas incluso con mayor energía. El científico se reía con tanto ímpetu que perdió el control de las manos. Perry vio la oportunidad de alcanzar por fin el interruptor.

—¡Te he dicho que no toques eso! —le dijo el Dr. Doofenshmirtz a voz en grito.

Perry se abalanzó sobre el interruptor. Era su única posibilidad.

Entretanto, en el circo, Phineas y Ferb contemplaban otro número más. Media docena de niñas habían formado una pirámide subidas en los hombros de las compañeras mientras hacían girar unos aros que llevaban en los brazos. Cuando ter-

minaron su actuación, Phineas sonrió. ¡Todos los números habían estado fantásticos!

Se acercó entonces Buford, dispuesto a protagonizar su minuto de gloria.

—¡Eh, ya tengo preparado el vestuario! —dijo—. No se te olvide presentarme como «el Increíble Hombre-Bolsa».

—Pues, verás. Hemos estado pensando en tu número y querríamos hacerte algunas sugerencias —dijo Phineas.

Ferb le mostró un croquis. Era parecido al que había dibujado el propio Buford, aunque mucho más complicado.

Phineas vio la perplejidad en la cara de Buford.

—Tendrías que modificar el par de torsión e invertir el ángulo de la trayectoria —le explicó Phineas mientras señalaba el croquis.

Buford torció el gesto.

—Bueno, pero sigo aterrizando en el barro, ¿no?

—¡Sí, sí! ¡Por supuesto! —dijo Phineas.

—Yo quiero barro —añadió Buford por si no estaba completamente claro.

Phineas y Ferb hicieron un gesto afirmativo. Eso no lo habían dudado en ningún momento.

Poco después Django terminaba su número circense. Se había esforzado al máximo por colocar las piernas detrás de la cabeza y el caso es que ahora parecía un ovillo enredado.

Phineas corrió al centro de la pista.

—¡Gracias, Django, el Hombre Nudo! —dijo en voz bien alta mientras al pobre Django lo subían a una carretilla y lo sacaban de la pista.

Y añadió:

—Eso debe de doler. Y a continuación, el protagonista de nuestro siguiente número será catapul-

tado por los aires y ¡aterrizará en un foso lleno del misterioso Barro de la Maldición Azteca!

Los asistentes se incorporaron un poco en sus asientos. Aquello prometía.

En aquel momento, Candace entró en el interior de la carpa de sopetón. Miró al público que había a su alrededor. Cuando descubrió a Jeremy junto a un asiento vacío, estuvo a punto de desmayarse.

—¡Jeremy! ¡Jeremy! ¡Jeremy! —dijo llena de felicidad—. ¡Me ha guardado el sitio!

Phineas, por su parte, recorrió la carpa con la mirada en busca de Buford. Había llegado el momento de su número. Entonces vio a Candace con la bolsa de papel en la cabeza y la confundió con su amigo.

—¡Recibamos con un aplauso al Increíble Hombre-Bolsa! —gritó Phineas. Y acto seguido, empujó a Candace hacia la catapulta. Esta se

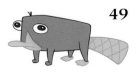

encontraba tan sorprendida que no pudo articular palabra.

Buford entró corriendo en la pista.

—¡Ta-chán! —gritó. Estaba impaciente por precipitarse en la piscina de barro. Entonces se dio cuenta de que habían atado a otra persona a la catapulta.

—¡Eh, un momento! —gritó Buford.

Candace había intentado convencer a sus hermanos de que no era Buford. Pero su voz se había vuelto tan grave, que no la creyeron. Se intentó desatar de la catapulta. Candace no estaba segura de para qué servía aquel artefacto, pero conociendo a sus hermanos, no podía ser nada bueno.

—¡Chicos, basta ya! —gritó—. ¡Soltadme!

—¡Ese tipo me está robando el número! —protestó Buford. ¡Lo de la catapulta y el barro era una idea suya! Buford se dirigió hacia la pista central.

Demasiado tarde: Phineas y Ferb había tirado de la palanca. El brazo de la catapulta saltó hacia delante como un resorte: Candace salió volando por los aires… ¡y atravesó el techo de la carpa por su parte más alta!

El público se quedó perplejo mientras contemplaba el agujero allí arriba. Ferb lanzó un silbido de asombro.

—Vaya… Debe de pesar menos de lo que habíamos calculado.

—¡No, no! ¡Este es el momento de gloria de Buford! —exclamó este a grito pelado.

Decidido a concluir su número, Buford resolvió saltarse la parte en la que volaba por el aire. Corrió hasta el depósito de barro y se lanzó a su interior directamente.

—¡Eh, mirad todos! —gritó mientras agitaba las manos para llamar la atención del público.

Este le dedicó una enfervorizada ovación.

Phineas estaba estupefacto.

51

—Un momento. ¿Cómo ha conseguido bajar hasta allí?

—¿A lo mejor resulta que Buford es increíble de verdad? —comentó Ferb.

Los dos hermanos consideraron esta posibilidad durante un instante y seguidamente fueron a sacar a Buford del barro.

Entretanto, continuaba el combate entre Perry y el Dr. Doofenshmirtz en la cubierta del Vocinator. Era una lucha ajustada en la que cada uno buscaba hacerse con el control del interruptor. Finalmente, el científico se cayó encima del dispositivo.

¡ZAS! El interruptor se rompió.

—¡Aaaggggg! —exclamó el vil Dr. Doofenshmirtz mientras contemplaba la palanca con exaspera-  ción—. ¡Fantástico! ¡Ahora va y se rompe el cacharro!

Pero ni Perry ni el Dr. Doofenshmirtz se perca-

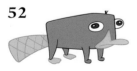

taron de que, al romperse el interruptor, se había descolgado del Vocinator una enorme manguera. Esta se balanceó en el aire hasta que entró por el agujero situado en lo alto de la carpa circense montada por Phineas y Ferb. En escasos instantes, el invento del Dr. Doofenshmirtz convirtió el aire dentro de la carpa en doofelio.

Dentro del recinto nadie se dio cuenta de que lo que allí se respiraba no era aire, sino el gas del malvado científico. Al menos hasta que empezaron a hablar.

—¡Y ahora, señoras y señores —anunció Phineas con voz de pito—, el circo al completo participará en el gran número final! ¡Con la actuación estelar del asombroso Perry!

Allá arriba, sobrevolando el circo, Perry escuchó por el altavoz las palabras que marcaban su entrada en escena. Agarró su propulsor y descendió por los aires hasta aterrizar dentro de la carpa, donde se encontró con Phineas y Ferb, que le aguardaban para el apoteósico final.

Todos los artistas habían formado una escalera humana. Debido a su tamaño, Buford se había colocado abajo del todo. Encima de sus hombros se habían subido Phineas y Ferb, mientras que sobre los hombros de los dos hermanastros se

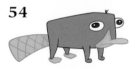

alzaban las niñas que habían protagonizado el número de los aros. Aquella torre formada por chicos y chicas llegaba hasta lo más alto de la carpa.

Phineas y Ferb fueron trepando por la escalera humana hasta llegar arriba del todo. Una vez allí, se sentaron en un trapecio junto a Perry el ornitorrinco.

Parecía un final asombroso, pero aún faltaba lo mejor. El recinto siguió llenándose de doofelio hasta que parecía un globo a punto de estallar.

Los costados de la carpa hacían fuerza contra las estacas que la anclaban al terreno.

¡Entonces las estacas se soltaron! La carpa se elevó sobre el suelo, dejando en tierra la pista circense, al público y a los artistas.

La carpa siguió ascendiendo por los aires hasta colisionar con el Vocinator. El estruendo fue enorme.

Perry permanecía aún en la pista, acompañado de Phineas y Ferb, mientras observaba cómo el Vocinator se precipitaba hasta estrellarse contra el suelo. El público silbaba y jaleaba el espectáculo.

A lo lejos se oyó la voz del Dr. Doofenshmirtz.

—¡Maldito seas, Perry el ornitorrinco! —se desgañitó con un timbre aún más chillón que de costumbre.

Perry se encogió de hombros. La colisión de la carpa contra el Vocinator no había sido premeditada, pero de todas formas se alegró por la destrucción de la máquina. El mundo volvía a estar a salvo: ¡por lo menos hasta que el Dr. Doofenshmirtz ideara algún nuevo y malvado plan!

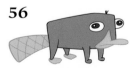

Capítulo 5

Mientras abandonaba el jardín trasero de la casa de los Flynn-Fletcher, el público asistente a la función alabó el espectáculo, sobre todo aquel final sorprendente.

—¡Jopé! —dijo un chaval—. ¡Gracias, Phineas!

—¡Qué pasada de circo! —comentó otro chico.

—¡Alucinante!

—¡Tú sí que sabes!

—¡El mejor circo que he visto en mi vida!

Isabella sonrió con un gesto de asentimiento.

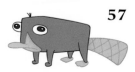

—¡Este Phineas es impresionante! ¡Nunca falla!

Cuando el público se hubo ido, Phineas y Ferb retiraron la pista. A continuación Ferb tiró de una palanca y el graderío quedó oculto bajo tierra.

Justo entonces regresaron a casa los padres de Phineas y Ferb. No encontraron nada anormal en el jardín.

—¡Hola, chicos! —dijo la señora Flynn-Fletcher.

Phineas les saludó con entusiasmo.

—¡Mamá, papá, os habéis perdido nuestro espectáculo circense!

—Vaya, parece que os lo habéis pasado bien —repuso su madre mientras miraba a Perry, que volvía a llevar puesto el disfraz de la función.

Perry emitió un gruñido de descontento. La señora Flynn-Fletcher tenía un disco en la mano.

—¿Quién quiere escuchar mi disco? —preguntó.

—¡Yo, yo! —dijo Phineas entusiasmado.

—Muy bien —dijo el señor Fletcher—. ¡Pues vamos!

—¡Genial! —exclamó Ferb.

Algo más tarde, tras un día bastante complicado, Candace regresó a casa y se encontró con que el jardín trasero se hallaba desierto. Después de ser lanzada al aire por la catapulta, había aterrizado muy lejos de su casa. Cuando por fin consiguió regresar, tenía arañazos por todo el cuerpo y sus ropas estaban hechas jirones. Por suerte, le habían desaparecido las manchas de la cara y su voz ya no era cavernosa. La reacción alérgica había remitido.

—En fin, por lo menos regreso a la normalidad —se dijo con un suspiro.

Entonces notó que le cubría una sombra. Levantó la vista y vio a Jeremy a su lado, con un disco en la mano.

—¡Hola, Candace! —dijo Jeremy—. Mi madre me ha puesto un poco la grabación. ¡Tu canción es increíble! ¿Cómo has conseguido poner la voz así?

Candace sonrió y se encogió de hombros.

—Pues… como todos los grandes intérpretes de blues: con chirivías.

Jeremy no entendió muy bien, pero Candace no tenía fuerzas para explicárselo. Le dirigió una sonrisa a Jeremy y se metió en la casa. Ya se lo explicaría otro día: un día tranquilo, sin circos ni catapultas.

Segunda parte

Capítulo 1

Apenas había salido el sol, pero a las 6:59 de la mañana —exactamente— Phineas y Ferb se incorporaron de sus camas como activados por un resorte. Después de todo, era verano, y quedarse en la cama por la mañana resultaba una pérdida de tiempo.

Los dígitos del despertador electrónico avanzaron hasta las 7:00. La alarma empezó a sonar a toda potencia. Phineas estiró la mano y la apagó con gesto triunfante.

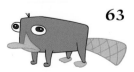

—¡Te he vuelto a ganar, tortuga! —dijo riéndose—. ¿Qué tal, Ferb? ¿Listo para construir en el jardín el ferrocarril más rápido, seguro y puntual de la historia?

En respuesta a esta pregunta, Ferb se encasquetó en la cabeza una gorra de ferroviario. A continuación, apartó la colcha de su cama mostrando de forma bien patente que el resto del uniforme ya lo tenía puesto.

—¡Estupendo! —exclamó Phineas.

Los dos muchachos se bajaron de la cama de un salto

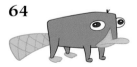

y descendieron a la planta baja de la casa deslizándose por la barandilla.

—Tú ocúpate de la caldera. Yo manejaré los frenos —dijo Phineas.

Los hermanos salieron corriendo al jardín. Ferb se encontró con la mascota de la familia —el ornitorrinco Perry— y le colocó en la cabeza la gorra de ferroviario.

—Entonces Perry será la mascota de la estación —comentó Phineas.

Perry emitió su típico castañeteo. Si no había más remedio, haría de mascota: siempre y cuando no tuviera que atender asuntos más importantes.

Los días de verano tan radiantes como aquel solían ser una inyección de energía para Phineas. En cuanto se despertaba, se le empezaban a ocu-

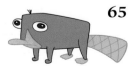

rrir miles de ideas. Pero hoy era un día en cierto modo distinto.

—¡Vaya! ¡Qué buen día hace hoy! —dijo Phineas—. Es como si la naturaleza entera estuviera diciendo al mismo tiempo…

Se interrumpió para escuchar y observar. Vio a una ardilla que lanzaba un suspiro y se tendía a descansar sobre la rama de un árbol.

En otra rama distinguió un pajarito relajándose, y encima de su estómago retozaba una lombriz. A las dos criaturas parecía habérseles olvidado que, de ordinario, una lombriz suele ser el almuerzo de un pájaro.

Una araña permanecía en la tela que había tejido con aire de paz y sosiego. Hasta las moscas que habían quedado atrapadas en su red parecían distendidas.

Los insectos que andaban por la hierba también parecían suspirar colmados de felicidad.

¡Phineas se dio cuenta de que el planeta entero se estaba tomando el día libre! Quizá el planeta les estaba enviando un mensaje.

—¿Sabes lo que te digo, Ferb? —dijo Phineas—. Todos los días ponemos en práctica alguna idea genial. Pero hay una cosa que todavía no hemos hecho. ¿Sabes cuál?

Ferb negó con la cabeza.

—Pues relajarnos —dijo Phineas—. Se me ocurre que podríamos aprovecharnos de un día tan maravilloso como este para pasarlo fantásticamente bien sin hacer nada de nada.

Arriba en su habitación, Candace, la hermana de Phineas y Ferb, también hacía planes para aquel hermoso día. Estaba hablando por el móvil con Stacy, su mejor amiga.

—Hola, Stacy —saludó Candace—. ¡Sí! ¡Sí! ¡Estoy deseando asistir al concierto al aire libre del grupo de Jeremy! ¡Lo han programado en el festival de verano!

Candace echó un vistazo al programa del concierto. Allí ponía «Jeremy y los Músicos de Fondo». Resulta que el vocalista de la banda —un

tal Jeremy— era un chaval que a Candace le gustaba. La verdad es que le gustaba un montón.

—¡Hoy va a ser un día increíble! —añadió.

Candace colgó y miró el reloj situado sobre su mesilla. Se dio cuenta de que eran las nueve de la mañana… y todo estaba tranquilo. Olisqueó a su

alrededor con suspicacia. Seguidamente se chupó el dedo índice y lo levantó en el aire para comprobar la dirección del viento.

—Vale, ¿qué pasa aquí? —dijo—. Ya son las nueve, no hay ruido de obras, ni camiones de reparto, ni…

Miró por la ventana de su cuarto. Phineas y Ferb permanecían de pie en el jardín trasero de la casa, con aspecto de no haber roto un plato en su vida.

—¡Pero si están ahí parados —se sorprendió Candace— como estatuas! Parecen… Parecen…

Ahí estaba la respuesta, pensó Candace. ¡Parecían dos estatuas! Imaginó lo que había pasado en realidad.

—Bien pensado, Ferb —habrían sido las palabras de Phineas—. Pondremos aquí estos muñecos para que Candace piense que estamos en el jardín sin hacer nada.

En su imaginación recreó la escena en que Phineas y Ferb colocaban unas estatuas, réplicas exactas suyas y, a continuación, se escabullían del lugar.

—¡Y cuando Candace no esté mirando, aprovecharemos para hacer ALGO! —habría dicho

Phineas casi con toda seguridad. ¡Y además se habría reído con una risa malvada!

Con un sobresalto, Candace abandonó sus ensoñaciones y regreso a la realidad. Por experiencia sabía que Phineas y Ferb eran capaces de cualquier cosa. Estaba plenamente convencida de que sus dos hermanos andarían tramando otro de sus planes intolerables.

—¡Pues hoy se van a quedar con las ganas! ¡De eso me encargo yo! —se prometió a sí misma Candace. Estaba decidida a pillarlos con las manos en masa de una vez por todas.

En el jardín, mientras tanto, la señora Flynn-Fletcher se acercó a donde estaban Phineas y Ferb.

—Hola, chicos —dijo con voz jovial—. ¿Qué estáis haciendo?

—Hoy no estamos haciendo nada —repuso Phineas.

—Bueno, yo me voy al festival: vamos a montar un puesto de fundas para teteras —comentó llena de entusiasmo—. ¡Chao!

—Hasta luego, mamá —respondió Phineas. Entonces miró a su alrededor—. Oye, ¿dónde se ha metido Perry?

Perry había desaparecido del jardín. No podía permitirse estar inactivo todo el día. Después de todo, no era un ornitorrinco normal y corriente. Además de la mascota de los Flynn-Fletcher, era el agente P., un agente secreto enormemente astuto y competente.

Perry se dirigió al cubo de la basura, que en realidad era el acceso a un pasadizo oculto. Miró a su alre-

71

dedor, se puso su sombrero de agente secreto —un sombrero de fieltro marrón— y abrió una puerta en un lateral del cubo de la basura por la que se introdujo discretamente.

A continuación se deslizó por un tobogán hasta su escondite de agente secreto. Fue a parar a una silla que había delante de una enorme pantalla de televisión. Normalmente Perry se encontraba en aquella pantalla con la imagen de su superior, el mayor Monogram, dispuesto a informarle sobre su última misión.

Pero hoy lo que se veía en el monitor era al mayor Monogram bailando con un grupo de gente debajo de una bola de discoteca. Llevaba puesta una camisa hawaiana y parecía estar pasándolo bomba.

El mayor reparó en la presencia de Perry, que seguía mirando la pantalla con cara de sorpresa.

—Hola, agente P. —dijo el mayor Monogram mientras se ponía un poco colorado—. Karl, sácame un primer plano.

De repente, la cara del mayor Monogram llenó la pantalla. Dejó de sonar la música de baile.

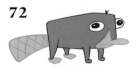

—Bueno, en fin.... Ya sabe, lo de siempre: detenga a Doofenshmirtz —dijo con gesto serio.

Y a continuación añadió con cara de juerga:

—¡Dale caña, Karl!

Volvió a sonar la música y el mayor Monogram reanudó el baile.

Perry comprendió que, por enésima vez, le tocaba impedir el último y malvado plan del villano Dr. Doofenshmirtz. No es que el mayor se hubiese explayado sobre los detalles precisamente, pero Perry sabía una cosa a ciencia cierta: ¡tratándose de Doofenshmirtz, el mundo corría un grave peligro!

Capítulo 2

Candace salió al jardín trasero de la casa y miró a su alrededor. Entonces vio a Phineas y Ferb: se encontraban de pie bajo un árbol.

—Hola, Candace —dijo Phineas con voz alegre.

—No estoy para saludos —repuso ella—. Hoy es un día fundamental en mi vida. Resulta que el grupo de Jeremy va a tocar en el festival. Y Jeremy me verá entre el público. No solo porque tengo asientos de primera fila, sino porque pienso gritar más alto que nadie. Así.

Candace se dio la vuelta de un salto y empezó a agitar los brazos.

—¡Uuaah! ¡Sí! ¡Uah, colega! ¡Sí, señor! ¡Así se toca!

Dejó de dar voces y se volvió de nuevo hacia sus hermanos.

—Luego saldremos juntos mientras dure el instituto y la carrera en la universidad, nos casaremos y tendremos dos niños, Xavier y Amanda —dijo de corrido.

Candace siguió otro instante soñando despierta. Luego volvió bruscamente a la realidad.

—¡Conque no me vayáis a arruinar el día con vuestros dichosos planes!

—Puedes estar tranquila, Candace —dijo Phineas—. Porque hoy no pensamos hacer nada.

—Y no os creáis que… —Candace se detuvo en mitad de su perorata—. ¿Has dicho «nada»?

—Nada —repitió Phineas haciendo un gesto afirmativo.

—¿Nada de nada? —insistió su hermana con incredulidad.

—Nada —aseguró Phineas.

—Pues estar aquí de pie ya es hacer algo —repuso Candace.

En aquel mismo instante, tanto Phineas como Ferb se dejaron caer de espaldas hasta quedar tumbados sobre la hierba mirando al cielo.

—Mmm —Candace no tuvo más remedio que admitir que sus hermanos, lo que era hacer, no estaban haciendo nada. Pero, claro, ni siquiera era todavía la hora de la comida.

—Muy bien, pero no es posible no hacer nada indefinidamente —añadió con una cierta irrita-

ción—. Y cuando dejéis de no hacer nada, seré yo la que haga algo. ¡Y ese algo será pillaros con las manos en la masa!

Candace entró en la casa dando un portazo y se puso a observar a Phineas y Ferb por una ventana. No se movían... ¡Pero a Candace no la iban a engañar con ese truco!

—¡Ahí están, tan tranquilos! ¡Planeando mi desgracia! —refunfuñó entre dientes.

Entonces sacó el móvil y marcó un número.

La llamada pilló a la señora Flynn-Fletcher dentro del puesto que había montado en la feria del condado. Estaba rodeada de montones de fundas de tetera hechas a mano. Cada una tenía las medidas perfectas para cubrir una tetera y mantener calentito el té. La madre de Candace ya había vendido varias de estas fundas y confiaba en que el día iría bien. Y fue entonces cuando le sonó el teléfono móvil.

—¿Diga? —contestó.

—¡Mamá! —empezó Candace—. Phineas y Ferb no están haciendo nada. ¡Nada! ¡Y todo en su afán incansable por estropearme el día!

—Candace, cariño —respondió su madre con un suspiro—, ¿por qué no te relajas un poco y dejas que tus hermanos disfruten de un día sin hacer nada?

A Candace le entraron las dudas. Sería agradable bajar la guardia un poco. Eso de espiar a sus hermanos para pillarlos haciendo algo malo era bastante cansado.

—¿Sería cierto? —se dijo a sí misma—. ¿Sería posible que, de verdad, Phineas y Ferb no estuvieran haciendo nada?

Decidió arriesgarse.

—Tienes razón, mamá —dijo—. Creo que voy a intentar relajarme hasta que Stacy venga a recogerme para ir juntas al concierto.

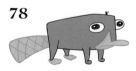

—¡Muy buena idea! —repuso su madre—. Te quiero, cariño.

Candace colgó.

—Pues si de verdad no están haciendo nada, supongo que puedo dedicar el tiempo a resolver mis propios asuntos —se dijo—. Veamos, ¿Qué suelo hacer yo normalmente? ¡Ya está!

Abrió el teléfono móvil.

—Voy a llamar a Stacy para contarle que he pillado a Phineas y Ferb mientras…

Se quedó callada y cerró el teléfono móvil.

—Pero, claro —dijo—, no puedo hacer eso porque mis hermanos no están haciendo nada.

Entonces se le ocurrió una idea.

—¡Un momento! Ya sé.

Candace colocó la cámara de vídeo de la familia delante de una ventana que daba al jardín trasero.

—Voy a poner aquí esta cámara, justo en el lugar adecuado, para que cuando Phineas y Ferb estén…

Entonces se acordó: Phineas y Ferb no estaban haciendo nada. ¡Lo cual significaba que era imposible que les sorprendiera haciendo algo!

Candace lanzó un gruñido de frustración y volvió a la carga.

—Total, que cuando Phineas y Ferb pasen por aquí —dijo—, yo voy y...

Su voz perdió fuelle mientras hablaba. Refunfuñó con irritación. Seguidamente se dirigió con desgana a su cuarto para arreglarse antes de ir al concierto.

Al poco rato se encontraba delante del espejo, pintándose los labios con esmero.

—Bueno, de una cosa estoy segura —dijo—. Voy a estar guapísima cuando pille a esa pareja...

Vaya. De acuerdo. No podía pillarlos haciendo nada. Se la oyó rezongar para sus adentros.

 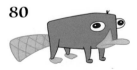

—¡Tienes que aceptarlo, Candace! —dijo—. ¡No sabes hacer nada que no sea intentar pillarlos haciendo alguna de las suyas! Y si no hacen nada, entonces…

Rompió a llorar amargamente.

—¿Quién es Candace?

Mientras tanto, en el jardín trasero de la casa, Phineas y Ferb seguían sin moverse. Tumbado en la hierba, Phineas suspiró mientras contemplaba el cielo radiante. Estaba completamente relajado.

Entonces se interpuso entre su vista y el sol un trozo de papel. Phineas se dio cuenta de que Candace sostenía delante de sus ojos —y de los de Ferb— un croquis con indicaciones para la construcción de un artefacto.

—Oye, Phineas —dijo Candace con voz animada—, ¿no te parece que hoy es el día perfecto para construir uno de estos inventos?

—Lo siento, Candace —respondió Phineas—. Ya te hemos comentado que nos proponemos pasar un día perfecto haciendo el vago. Pero si lo dejas en nuestro buzón, intentaremos construirlo mañana.

Candace torció el gesto y arrugó el papel. Entonces sacó otro croquis y lo agitó a la vista de sus hermanos.

—¡Eh-eh! ¿Qué tal un submarino para viajar por el tiempo? —dijo en tono persuasivo—. ¡Vamos, chicos!

—Candace, esas páginas las has sacado de nuestro álbum de proyectos —comentó Phineas.

Su hermana echó un vistazo al libro que tenía en las manos. En la portada ponía *Diario de proyectos de Phineas y Ferb*. Se puso roja como un tomate y escondió el libro a toda prisa detrás de su espalda.

En vista de que sus intentos por convencer a Phineas y Ferb de que reanudaran sus travesuras habituales habían fracasado, Candace volvió a meterse dentro de la casa. Se sentó en el sofá del cuarto de estar y cogió el mando a distancia de la tele.

—¿Cómo puedo hacer que se animen a construir algo? —se preguntó en voz alta mientras encendía el aparato.

En ese momento vio un anuncio en la pantalla.

—¿Eres un chico? —preguntó la voz del locutor—. ¿No vas a hacer hoy nada con tu hermanastro? ¿Te gustan las grandes aventuras?

—¡Sí! —contestó un coro de voces infantiles dentro del anuncio.

—¡Pues tenemos el producto que necesitas! —siguió diciendo el locutor—. ¡Se trata del Increíble y Funesto Tobogán de Agua en forma de Malvado Dinosaurio Devorador de Hombres! Habéis oído bien, chavales. El Increíble y Funesto Tobogán de Agua en forma de Malvado Dinosaurio Devorador de Hombres se entrega a domicilio en cuestión de minutos.

Las imágenes del anuncio mostraron un camión de reparto que se detenía delante de una casa y del que se descargaban una serie de cajas.

—Es sencillísimo de montar. ¡Hasta un niño de cinco años puede hacerlo! —dijo el locutor.

—¡Yo lo he hecho! —dijo un niño muy rico que salía en el anuncio.

—¡Llama ahora! —terminó diciendo el locutor.

Candace no se lo pensó dos veces. No había concluido el anuncio y ya tenía el teléfono en la mano.

Capítulo 3

Al cabo de un rato, un repartidor descargaba varias cajas en el jardín trasero de los Flynn-Fletcher. Cuando hubo terminado, Candace firmó el albarán de entrega mientras sonreía con satisfacción.

—Bueno, pues ya están todas las cajas —dijo el repartidor—. Por cierto, ¿no eres un poco mayorcita para estas cosas? —preguntó con cara de sorpresa.

—La verdad es que sí —dijo Candace—. Sí que lo soy.

El repartidor se marchó y Candace empezó a abrir las cajas.

—Muy bien: empezaré a montarlo yo —dijo—, pero como son chicos, querrán meter baza y enseñarme cómo se hace. ¡Y entonces llamaré a mamá y los habré pillado en plena faena!

Sin poder disimular su contento, Candace se puso a abrir las cajas.

Entretanto, Perry le estaba siguiendo la pista al Dr. Doofenshmirtz. El agente P. sabía que el científico se proponía algo. ¿Pero de qué se trataba? Doofenshmirtz era un loco, pero un loco muy inteligente. Se había construido su propio imperio del mal, una empresa llamada Perfidias Doofenshmirtz, S.A. cuyas oficinas ocupaban un edificio de gran altura rematado por un letrero con el nombre de la compañía. Por eso Perry sabía exactamente dónde encontrar al Dr. Doofenshmirtz.

Cuando Perry llegó a la sede de la empresa, abrió la puerta de una patada y entró en el edificio.

El Dr. Doofenshmirtz levantó la vista de su último invento. Se diría que no le había moles-

tado la llegada de Perry. Al contrario, parecía complacido.

—Ah, hola, Perry el ornitorrinco —saludó con una sonrisa—. Me gustaría enseñarte algo.

Se dio la vuelta rápidamente y apuntó a Perry con un artilugio desconocido.

—¡Mi Ralentizanator! —exclamó gritando el Dr. Doofenshmirtz mientras apretaba un botón.

¡Chas! La máquina emitió un rayo y este impactó contra Perry. El ornitorrinco intentó abalanzarse a toda prisa sobre el malvado doctor, pero solo consiguió moverse a cámara lenta.

El Dr. Doofenshmirtz observó a Perry mientras este corría a la velocidad de un caracol. Entonces el científico se apoyó con la mano en el agente P., como si quisiera descansar sobre un objeto.

—¿Te das cuenta? Tus movimientos son demasiado lentos como para frustrar mis malvados planes. Y de paso me ahorras el trabajo de tener que capturarte —le explicó a Perry—. Problema resuelto. En fin, vayamos a lo que importa.

Aunque los movimientos de Perry habían quedado ralentizados, él seguía decidido a cumplir

su misión. Por eso continuó corriendo mientras
hablaba el Dr. Doofenshmirtz.

—No sé si te habrás dado cuenta, pero no soy
lo que se dice… mmm, ¿cómo lo expresaría la
juventud de ahora? —el Dr. Doofenshmirtz se interrumpió un instante—. Quiero decir que no soy
un guaperas. Mi médico me ha dicho que es una
cuestión de genes, pero yo no les echo la culpa a
mis padres. ¡La culpa es de los demás habitantes
del área metropolitana de Danville por ser más
guapos que yo! Por eso he inventado este artilugio:
¡mi Afeanator!

Sacó entonces un aparato más grande que el
Ralentizanator. Era una máquina de color verde
intenso en cuya parte superior había una cúpula

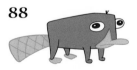

de plástico. Dentro de dicha cúpula se encontraba una rana que croaba con aire triste.

—Utiliza el desagradable aspecto de la rana cornuda para afear el objetivo escogido —explicó el Dr. Doofenshmirtz. La rana, por su parte, le estaba mirando con cara de pocos amigos, pero el científico ni se dio cuenta—. Te haré una demostración con el apuesto actor de cine Vance Ward.

El Dr. Doofenshmirtz tiró de una cuerda y esta levantó una sábana que ocultaba a un hombre atado a una tabla. Tenía el cabello, que era rubio, frondoso y ondulado, los ojos azules y la dentadura perfecta. Iba vestido con un traje muy elegante.

Vance Ward sonrió como si estuviera en el escenario de un teatro y acabaran de subir el telón.

—¡Hola! Me llamo Vance Ward —dijo con una sonrisa de oreja a oreja.

—Si la máquina consigue afear a este tipo, podrá afear cualquier cosa —aseguró el desalmado científico—. ¿Estás listo, Vance?

—Supongo que sí, pero nadie me ha dado el guión —contestó Vance—. ¿Cuál es mi motivación en esta escena?

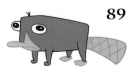

—¿Motivación? —el Dr. Doofenshmirtz exhibió una sonrisa malévola—. Te va a quedar muy claro dentro de un segundo.

Entonces apuntó a Vance con el Afeanator y apretó el gatillo. A instante, el atractivo actor se transformó en un hombre deforme y de extraño aspecto. Llevaba puestos una camiseta de ropa interior y unos pantalones que le quedaban enormes.

Doofenshmirtz se echó a reír.

—¡Y ahora, a por el área metropolitana de Danville! —exclamó exultante—. Y, por cierto, Perry el ornitorrinco, ¿sabes que es lo mejor de mi plan?

Al cabo de un rato, y obligados por el genio del mal, Perry y Vance ocupaban una gran plataforma sujeta a un gigantesco globo. Se abrió la cubierta del edificio y los tres se alejaron flotando por el

aire. Encima de la plataforma, Doofenshmirtz había dispuesto un sillón reclinable y un televisor.

—Lo mejor es que todo lo pienso hacer desde mi confortable cuarto de estar, en el que he instalado mi televisor favorito de pantalla plana y mi sillón —le dijo a Perry el Dr. Doofenshmirtz.

Perry intentó correr en dirección al malvado inventor, pero seguía moviéndose a cámara lenta.

Doofenshmirtz se reclinó en el sillón y se puso las manos detrás de la cabeza. Aquello sí era vida, pensó. Tumbado cómodamente y sin hacer nada… ¡Mejor dicho, nada bueno!

Mientras tanto, en su jardín, Phineas y Ferb seguían echados sobre la hierba. Estaban disfrutando a conciencia de aquel día sin hacer nada.

El cambio de ritmo les estaba sentando pero que muy bien.

En aquel mismo momento, Candace pasó delante de ellos. Llevaba encima unas cuantas cajas.

—Hola, chicos. Ya veo que seguís sin hacer nada —dijo—. No os preocupéis por mí. Esto que llevo no es nada de particular: unas cuantas piezas para construir un artilugio enorme y superchuli —añadió antes de echarse a reír—. Ya sabéis, como esos que tanto os gustaba construir a vosotros. La verdad es que hoy me apetecía hacer algo divertido.

Se inclinó por encima de Phineas y se puso a clavar una sujeción con una maza.

—Huy, perdonad que os moleste —dijo—. Es que esta es la postura más cómoda para introducir este clavo en el suelo. ¡Qué bien! ¡Me lo estoy pasando genial!

—Oye, Candace… —dijo Phineas.

—Ah, ya sé lo que me quieres explicar —le interrumpió su hermana con cara de satisfacción—. No hace falta decir, que si quieres dirigir tú la construcción, por mí, encantada.

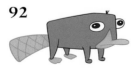

—Pues… la verdad es que te iba a pedir que hicieras un poco menos de ruido —dijo Phineas con suma amabilidad.

Candace frunció el ceño. Le costaba creerse que Phineas no mordiera el anzuelo. ¡Pero aquello no la iba a desanimar! Aún tenía más cartas bajo la manga…

—En fin, volvamos a las cosas importantes de la vida: como, por ejemplo, divertirse —dijo.

Sacó entonces un martillo hidráulico y empezó a taladrar una viga.

—¿Os acordáis de cuando también vosotros lo pasabais así de bien?

Phineas y Ferb dejaron de prestar atención a su hermana.

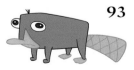

Al cabo de un rato, apareció una hormigonera y empezó a volcar cemento en el jardín.

—¡Huy, lo que podrías estar divirtiéndoos ahora! —les dijo Candace a sus hermanos.

A continuación llegó una grúa que empezó a depositar en el jardín los fragmentos del dinosaurio pedido por Candace.

—¡Solo tenéis que poneros conmigo! —dijo la hermana de Phineas y Ferb.

Después de un breve espacio de tiempo, Candace consiguió prácticamente terminar el montaje del Increíble y Funesto Tobogán de Agua en forma de Malvado Dinosaurio Devorador de

Hombres. El tobogán salía de la boca del dinosaurio y daba varias vueltas antes de tocar el suelo.

Candace estaba sentada en lo más alto del tobogán, apretando los últimos tornillos en la cabeza del dinosaurio.

—No es por vacilaros, pero ahora mismo me lo estoy pasando muchísimo mejor que vosotros —les dijo Candace a sus hermanos en voz bien alta. Estaba picada porque Phineas y Ferb no habían intentado organizarlo todo, tal y como ella había supuesto.

Apoyado en el tobogán, justo a su lado, estaba el teléfono móvil de Candace. Pero con el ruido de la maquinaria, no lo oyó sonar.

En la plataforma flotante del Dr. Doofenshmirtz Perry se sentía como si llevara varias horas corriendo a cámara lenta. Por fin estaba a punto de alcanzar su objetivo.

El Afeanator se encontraba sobre una mesita que había junto

al sillón reclinable que ocupaba Doofenshmirtz. Perry estiró el brazo para apoderarse de la máquina.

Estaba a punto de coger el Afeanator cuando el malvado doctor se le adelantó.

—¡Ooh-ooh! —exclamó el científico riéndose. Se incorporó de un salto y empezó a correr por la plataforma sin dejar de sostener el aparato en las manos—. ¡Yuju, Perry el ornitorrinco! ¡Ven a por esto! Vaya, se me había olvidado. ¡Ahora te mueves tan despacio que no puedes atraparme!

Pero el Dr. Doofenshmirtz no se había dado cuenta de que Perry le acababa de tender una trampa. ¡Y el científico había caído en ella como un tonto!

Tan pronto como Doofenshmirtz se alejó lo suficiente del Ralentizanator, Perry aprovechó para cogerlo. Es cierto que tardó bastante tiempo en hacerlo, pero aún así consiguió adelantarse a su enemigo.

—¡Ah, pero qué tonto he sido! —exclamó el Dr. Doofenshmirtz—. Lo que querías era el Ralentizanator.

Perry se apuntó a sí mismo con el aparato.

—¡Espera, espera! ¡No! —vociferó el doctor loco—. ¡No toques el botón de inversión!

Esto último, justamente, fue lo que hizo Perry en aquel preciso instante. La máquina disparó un rayo que invirtió el efecto ralentizador.

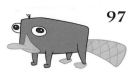

¡Perry había recuperado su velocidad habitual! Ni corto ni perezoso, empezó a perseguir a Doofenshmirtz por toda la plataforma.

El científico intentó acertarle a Perry con el Afeanator mientras seguía huyendo a la carrera. Aunque erró varias veces, finalmente consiguió alcanzar a Perry en la cabeza.

De repente, Perry dejó de parecerse al ornitorrinco que era habitualmente. Tenía los dientes torcidos, los ojos cada uno de un tamaño y los brazos deformados.

Fue en aquel momento cuando el villano cometió su gran error: se paró para reírse de Perry mientras lo señalaba con el dedo.

—¡Deberías mirarte en un espejo! ¡Menudo adefesio estás hecho! —exclamó.

Perry aprovechó el momento para dar un salto en el aire y arrebatarle el Afeanator a Doofenshmirtz de una patada.

A continuación recogió la máquina del suelo y apuntó con ella a la pantalla plana del televisor. Este dejó de ser un sofisticado monitor de última generación para convertirse en un viejo modelo

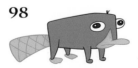

que hasta tenía antena de cuernos. A continuación apuntó al sillón, que terminó transformado en una silla de jardín de plástico barato.

Sin que le diera tiempo de reponerse del disgusto, el Dr. Doofenshmirtz retrocedió unos pasos con torpeza y terminó por activar accidentalmente con el codo un interruptor de gran tamaño situado a su espalda.

Al momento se descolgó un ancla de la plataforma. ¡Iba derecha al jardín en el que se encontraban relajándose Phineas y Ferb!

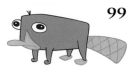

Capítulo 4

En el jardín trasero de la casa de los Flynn-Fletcher, Candace seguía trabajando y sus hermanos continuaban haciendo el vago. Entonces se presentó Stacy.

—¡Candace! ¿Dónde estás? —gritó Stacy en voz alta—. ¡Nos tenemos que marchar ya!

Miró hacia arriba y vio a Candace en lo más alto del tobogán. Seguía dando martillazos. Stacy se quedo boquiabierta. Nunca antes había visto a su amiga en mitad de una faena semejante.

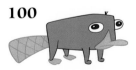

—¿Candace? —Stacy se encontraba todavía impactada por lo que estaba viendo.

—¿Y ahora quién se divierte? —gritó Candace, fuera de sí, a sus hermanos. No había oído llegar a Stacy—. Si el aburrimiento fuera una erupción cutánea, yo sería la inyección de cortisona.

Stacy ascendió la escalera del tobogán con la intención de apaciguar a su amiga.

—¿Pero qué haces, Candace? —preguntó Stacy—. ¡Llevo toda la tarde intentando que me cojas el teléfono!

—¿Tú que crees que hago? —repuso Candace de muy malas pulgas—. ¡Estoy pillando a mis hermanos! —añadió señalando a Phineas y Ferb, que

seguían tumbados en la hierba sin molestar absolutamente a nadie.

—¡Pero el concierto está a punto de empezar! —Stacy señalaba en dirección al recinto de la feria.

Candace abrió la boca de par en par.

—¡Jeremy! —dijo—. ¡Cielos! He estado tan ocupada con lo de pillar a mis hermanos que me había olvidado del concierto.

En aquel momento, el ancla de la plataforma empezó a aproximarse al suelo del jardín. Antes de tocar tierra, se enganchó en una de las fosas nasales del dinosaurio. Como, por otra parte, el globo que portaba la plataforma se estaba ale-

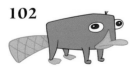

jando, el ancla arrancó del suelo el Increíble y Funesto Tobogán de Agua en forma de Malvado Dinosaurio Devorador de Hombres.

Las muchachas se llevaron un susto morrocotudo al darse cuenta de que el tobogán sobre el que estaban sentadas flotaba por los aires.

—Candace, ¿qué está pasando? —preguntó Stacy.

—En las instrucciones no decía nada de volar —contestó Candace, que no salía de su asombro.

—¡Aaahh! —gritaron al unísono las dos amigas.

En el festival, mientras tanto, Jeremy y su grupo habían salido al escenario y estaban interpretando uno de sus temas.

Jeremy, que era el vocalista principal, cantaba por un micrófono mientras el público seguía la actuación con interés.

En aquel momento pasó por encima de sus cabezas el globo que arrastraba la plataforma y el tobogán. Perry y Doofenshmirtz seguían luchando por la posesión del Afeanator. En medio del combate, apretaron accidentalmente la palanca del aparato. Un rayo procedente del Afeanator fue a impactar contra la banda en plena actuación.

De repente Jeremy había cambiado su peinado habitual por una greñuda melena, y llevaba la cabeza cubierta con un casco con dos cuernos. Los

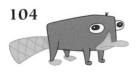

demás miembros del grupo vestían una especie de andrajos de color negro, mientras que la melodía que interpretaban se había transformado en una música atronadora de estilo heavy metal.

El público empezó a aclamarlos justo antes de que otro rayo del Afeanator les alcanzara a ellos también. Tras su instantánea transfiguración, aparecieron con crestas, ropas negras y un montón de pendientes.

Un momento después, se rompió la cuerda que sujetaba el ancla. ¡El tobogán-dinosaurio se precipitaba sobre el escenario!

—¡Aaahh! —gritaron Candace y Stacy.

—¡Cataplum! —hizo el tobogán al estrellarse finalmente contra las tablas.

Jeremy y su grupo siguieron tocando.

—¿Quiénes son estos tíos? —le preguntó Candace a Stacy. No había reconocido ni a Jeremy ni a sus colegas.

Stacy se encogió de hombros.

—Serán los teloneros.

Por encima de todos ellos, Perry consiguió finalmente arrebatarle el Afeanator al Dr. Doofenshmirtz. Apuntó el invento en dirección a su creador y le acertó en plena cara con un rayo.

—¡Oh, no! —gritó Doofenshmirtz. Se echó las manos a la cara—. ¡Ahora sí que seré feo de

verdad! —entonces se retiró las manos del rostro y las observó con atención. Se dio cuenta de que, aunque le había alcanzado el rayo del Afeanator, su apariencia no había cambiado nada: seguía tan feo como siempre.

—Ah, ya lo entiendo. ¡Ja, ja, ja ja! —rió con sarcasmo.

Perry abrió la cúpula de plástico situada en la parte superior del Afeanator y liberó a la rana. Luego colocó una foto dentro de aquel compartimento.

—¿Mi foto de Vance Ward con su autógrafo? —gritó el Dr. Doofenshmirtz—. ¡Aaaggg! ¡Has pervertido mi feo invento con algo hermoso!

Perry apuntó el aparato en dirección a Vance. ¡Chas! El actor recobró al instante su atractiva imagen.

—¡Gracias! —reconoció Vance—. Quienquiera que seas… —entonces se dio cuenta de dónde estaba—. ¡Y ahora sácame de aquí! —gritó.

En lugar de hacerlo, Perry apuntó la máquina hacia Jeremy y su grupo de heavy metal. ¡Chas! Se transformaron de nuevo en Jeremy y los Músicos de Fondo, y volvieron a reanudar la dulce

melodía que estaban interpretando antes de su metamorfosis.

A continuación Perry descargó un rayo sobre el público. Todos los asistentes recobraron su apariencia habitual.

Y, por último, Perry lanzó un rayo contra él mismo. Y volvió a ser el agente secreto de siempre.

El Dr. Doofenshmirtz parecía muy contrariado.

—¿Y qué pasa con mi televisor y mi sillón? —preguntó en tono exigente.

—¡Y a mí sacadme de aquí! —gritó súbitamente Vance a pleno pulmón. Tras liberarse de sus sujeciones, cogió carrerilla y saltó por el borde de la plataforma, precipitándose en el aire.

Perry no daba crédito a lo que veían sus ojos. Pensó que algunas personas no entienden la diferencia entre el cine y la vida real. Saltó en pos del actor y consiguió agarrarlo en plena caída. Seguidamente le disparó —y se disparó a sí mismo— con el Ralentizanator, después de lo cual ambos tomaron tierra lenta y suavemente.

Mientras lo hacía, Perry apuntó el antiguo Afeanator hacia el globo del Dr. Doofenshmirtz y

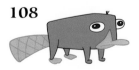

lo alcanzó con un nuevo rayo. El globo adquirió la forma de un gigantesco corazón en el que se podía leer: AMO LA BONDAD.

—¡Mi globo! —gritó Doofenshmirtz con enorme desesperación.

¡Qué vergüenza! ¡Un personaje tan malvado como él a bordo de un globo tan amoroso!

—¡Maldito seas, Perry el ornitorrinco! —se le oyó gritar.

Perry había vuelto a salvar al mundo del perverso científico. ¡Y de paso había embellecido un poco el panorama!

Cuando el día llegó a su término. La señora Flynn-Fletcher cerró su puesto de fundas de tetera y regresó a su casa. Al entrar en el jardín trasero de la vivienda se encontró con que Phineas y Ferb seguían tumbados en la hierba.

—Hola, chicos. Estoy en casa. Ya veo que seguís disfrutando de vuestro día sin hacer nada.

—Sí, mamá —dijo Phineas—. Ha sido un día perfecto para hacer el vago.

Entonces vio a su mascota cruzando el jardín al trote seguido de Vance.

—¡Anda, pero si estás aquí, Perry! —exclamó Phineas.

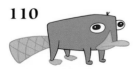

Vance seguía bajo los efectos de la cámara lenta.

—¿Dónde estoy? —preguntó. También la voz le sonaba ralentizada.

—Y viene con Vance Ward, el apuesto actor de cine —dijo Ferb perplejo—. La verdad es que en la tele parece mucho más dinámico.

Phineas y Ferb volvieron a tumbarse en la hierba. Definitivamente había sido el día perfecto para hacer el vago.

En el festival, por otra parte, Jeremy y los Músicos de Fondo seguían actuando encima del escenario. Les habían aplaudo tanto que en ese momento tocaban un bis.

Candace estaba a su lado. Después de que el tobogán de agua se estrellara, ella y Stacy se habían quedado a ver la actuación de Jeremy y su grupo. En aquel momento Jeremy se volvió hacia

Candace y le dedicó una sonrisa. Ella le correspondió con otra y se puso a cantar con la banda.

El final de la canción lo cantaron al alimón Candace y Jeremy.

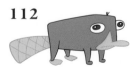

—¡Este es el mejor día de mi vida! —exclamó Candace llena de felicidad. Por fin ella y Jeremy estaban juntos —aunque solo fuera para interpretar una canción.

Más aventuras en el próximo libro
de Phineas y Ferb...

UNOS ABUELOS MUY MARCHOSOS

Adaptado por Molly McGuire

Basado en la serie creada por Dan Povenmire y Jeff «Swampy» Marsh

Aquel era otro glorioso día de las vacaciones vera-
niegas. Phineas Flynn y Ferb Fletcher se encontraban sentados en el sofá del salón con los abuelos
de Phineas: la abuela Betty Jo y el abuelo Clyde.
Todos escuchaban una interesantísima charla del
señor Fletcher sobre la historia del dedal de costura.

—Y por ese motivo, el dedal del siglo XVIII no es
solo un trozo de historia, sino un ejemplo incues-
tionable del coraje y la perseverancia del pueblo
americano... —decía el señor Fletcher mientras

consultaba las notas que llevaba en una tarjeta. Esa misma tarde tendría que dar una charla ante un público numeroso, y aquel era su último ensayo. Miró a su familia como buscando su aprobación.

—¡Fenomenal, papá! —animó Phineas con entusiasmo. El señor Fletcher era un experto en antigüedades, lo cual resultaba muy conveniente, ya que era el dueño de una tienda de objetos antiguos que había en la ciudad.

—¡Has estado soberbio! —le aclamó la abuelita Betty Jo. Seguidamente hizo como que se quedaba dormida y se ponía a roncar.

—¡Mamáááá! —le recriminó la señora Flynn, que era la madre de Phineas.

—¡Pero si es una broma! —la abuelita Betty Jo rió entre dientes. Seguidamente le dedicó una sonrisa al señor Fletcher—. Tu charla va a ser de lo mejorcito en ese congreso sobre la historia del dedal.

La mamá de Phineas consultó su reloj.

—Congreso al que llegaremos con retraso si no nos ponemos ya en camino —le recordó a su marido—. Muchas gracias de nuevo por quedaros a cuidar de los chavales —les dijo a sus padres—. Candace está patinando en el parque. Los números de teléfono están todos en la puerta del frigorífico.

—¡Portaros bien con los abuelos, chicos! —les dijo a estos últimos el señor Fletcher antes de marcharse con su esposa.

Phineas y Ferb les dijeron adiós con la mano. La casa se quedó tan silenciosa que hasta se hacía

raro. ¿Qué iban a hacer durante el resto del día?
Incluso Perry, el ornitorrinco de los dos hermanos,
parecía un poco aburrido.

En aquel momento, sin embargo, la abuela les
sonrió con cierta picardía.

—¿Os apetece ir al parque a avergonzar un poco
a vuestra hermana? —les preguntó.

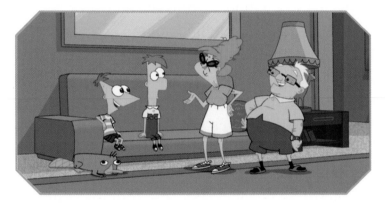

—¡Sí! —gritaron al unísono Phineas y el abuelo
Clyde.

Los dos muchachos abandonaron el salón a la
velocidad del rayo en compañía de sus abuelos.
Perry les vio marcharse sin inmutarse. ¡Parecía
que el día se ponía interesante!

*****

En el parque, la mejor amiga de Candace, que se llamaba Stacy Hirano, le enseñaba a la hermana de Phineas y Ferb a patinar sobre ruedas.

—¡Ya le vas cogiendo el tranquillo! —exclamó Stacy, que iba patinando delante de Candace—. Te falta un poco de práctica, pero lo vas teniendo controlado.

Se diría que Stacy había nacido con unos patines en los pies. No se podía decir lo mismo, sin embargo, de Candace Flynn. Era un hacha en eso de ir de compras, o si trataba de cantar o actuar. Pero patinar no era lo suyo.

—Todavía no sé dar giros o pararme, pero ya me voy defendiendo —decía Candace mientras agitaba los brazos como si fueran las aspas de un molino, en un penoso intento por no perder el equilibrio—. ¿Tú crees que Jeremy estará hoy patinando por aquí? —le preguntó a su amiga.

Jeremy Johnson era un compañero de estudios de Candace y Stacy que trabajaba además en la hamburguesería del barrio. Candace estaba super-colada por él. Para Candace, Jeremy era sin lugar a dudas el chico más guapo del planeta Tierra.

De repente, Stacy dejó de patinar, por lo que Candace estuvo a punto de chocar con ella. Stacy señaló hacia el interior del parque.

—¿No es esa tu familia? —preguntó.

Candace se quedó boquiabierta. ¿Qué estaban haciendo allí? Vio a Ferb patinando a escasa distancia de donde ella se encontraba. Sus movimientos describían unos círculos de lo más elegante.

—¿Ves? Ya te dije que a Ferb se le da muy bien patinar —le estaba diciendo Phineas a su abuela lleno de orgullo. Estaban los tres perfectamente equipados con los cascos de patinaje y las rodilleras y coderas de protección. El abuelo Clyde, por su parte, permanecía sentado en un banco cercano mientras observaba sus evoluciones.

Más aventuras en el próximo libro de Phineas y Ferb...

UNOS ABUELOS MUY MARCHOSOS

Más aventuras de Phineas y Ferb:

¡UNA NOCHE MONSTRUOSA!

¡Es la noche de Halloween y Phineas y Ferb se proponen llevar a sus amigos de paseo en una carreta encantada! Lo que no saben es que el malvado doctor Doofenshmirtz ha creado un monstruo gigante para que destruya la ciudad de Danville. ¿Conseguirá Perry el ornitorrinco (alias el agente P.) detener a tiempo a la criatura? ¿O se convertirá este Halloween en una espantosa pesadilla?

Más aventuras de Phineas y Ferb:

ADICTOS A LA VELOCIDAD

Phineas y Ferb están de vacaciones y tienen mucho
que hacer. Primero, arreglan el coche de su madre
y participan en la carrera Swamp-Oil 500. Luego
construyen una increíble montaña rusa con más
sorpresas de las que te imaginas. ¡Serpientes
incluidas! ¿Con tanto movimiento y tanta velocidad,
quien tiene tiempo de aburrirse?

Más aventuras de Phineas y Ferb:

¡CARRERA DE SUSTOS!

Cuando Isabella, la amiga de Phineas y Ferb, contrae un hipo malísimo, los muchachos deciden construir una casa encantada de lo más horripilante para quitarle el hipo a base de sustos. ¿Conseguirá la casa –que está llena de malvados hombres-lobo, espeluznantes criaturas que se arrastran y traicioneros vampiros– el efecto deseado? ¿O se llevará Isabella un susto de tomo y lomo, y nada más? Por si fuera poco, los sobresaltos continuarán cuando Phineas y Ferb intenten encontrar una momia para ellos solos.

Más aventuras de Phineas y Ferb:

SORPRESA BRUTAL

Phineas y Ferb saben que cuando uno quiere
aprovechar hasta el último minuto de cada día, los
cumples son la excusa perfecta para organizar las
sorpresas más alucinantes. Decididos a superar la
que le dieron a Candace el año pasado, en esta ocasión
han ideado un regalo de proporciones monumentales.
Además, están a punto de olvidarse del cumpleaños
de su madre, aunque a última hora preparan una
sorpresa que haría las delicias de cualquier padre.

Más aventuras de Phineas y Ferb:

¡DUELO DE PULGARES!

Las espadas están en todo lo alto después de que el abusón del barrio haya retado a Phineas a un combate. Phineas y Ferb construyen un enorme cuadrilátero de boxeo e invitan a todos sus amigos a presenciar el pulso chino del siglo. ¿Experimentará Phineas la emoción de la victoria... o la tristeza de la derrota?